文字雙胞胎（上）

文／謝武彰　　圖／鄭淑芬

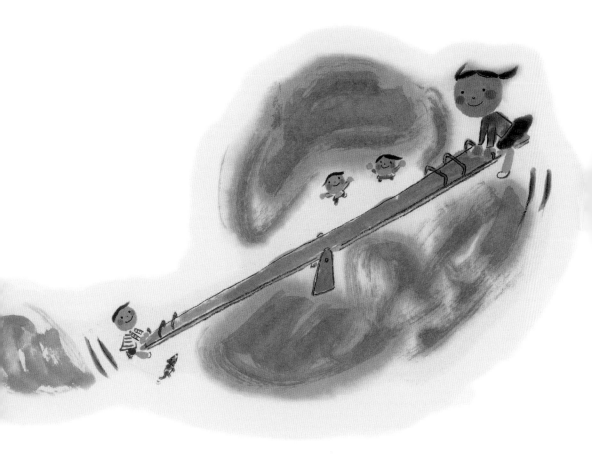

商務印書館

文／謝武彰（2009）　　圖／鄭淑芬（2009）

本版由 ©2017 台北信誼基金出版社授權出版發行

文字雙胞胎（上）

作　　　者：謝武彰

繪　　　圖：鄭淑芬

責任編輯：鄒淑樺

封面設計：李莫冰

出　　　版：商務印書館（香港）有限公司

　　　　　　香港筲箕灣耀興道 3 號東滙廣場 8 樓

　　　　　　http://www.commercialpress.com.hk

發　　　行：香港聯合書刊物流有限公司

　　　　　　香港新界大埔汀麗路 36 號中華商務印刷大廈 3 字樓

印　　　刷：美雅印刷製本有限公司

　　　　　　九龍觀塘榮業街 6 號海濱工業大廈 4 樓 A

版　　　次：2017 年 9 月第 1 版第 1 次印刷

　　　　　　© 2017 商務印書館（香港）有限公司

　　　　　　ISBN 978 962 07 5750 1

　　　　　　Printed in Hong Kong

目錄

丸 九

丸子店，賣丸子，

有肉丸、有魚丸。

一二三四五六七八九，

媽媽買了九個魚丸。

九八七六五四三二一，

媽媽買了九個肉丸。

丸	【丶】部 藥丸　丸子
九	【乙】部 九因歌

丟 去

小狗走丟了！

小狗哪裏去了？

小弟弟走丟了！

小弟弟哪裏去了？

沒丟、沒丟、沒丟，

他們去公園裏玩球。

| 丢 | 【一】部
丟掉　丟開
丟臉 |
| 去 | 【厶】部
去了　去年
去向　去污粉 |

5

間 間

一間一間地問，

一間一間地問，

一間問過一間，

問到最後一間商店，

才知道這一間

　　是最好的商店。

6

間	【門】部 房間　日間 田間　一間 中間
問	【口】部 問好　問答 問題　問號 問安　問路

塊瑰

一塊兩塊三塊田，

三塊田，種玫瑰。

這塊田種黃玫瑰，

那塊田種紅玫瑰，

還有一塊田

　　種的是白玫瑰。

| 塊 | 【土】部
冰塊　土塊
一塊　大塊 |
| 瑰 | 【玉】部
玫瑰 |

小 少

越來越小、越來越少，

越來越少、越來越小，

香皂越洗越少了，

香皂越洗越小了，

越少越少……越小越小……

咦？香皂不見了。

小	【小】部 小心　小弟 小的　小吃 小草　小學 小狗
少	【小】部 少有　很少

布市

路的左邊是布店，

路的右邊是布店，

整條路都是布店。

漸漸變成了布市，

大家到布市裏找一找，

大家到布市裏，尋寶。

布	【巾】部 布丁　布告 布袋　白布 花布　布袋戲
市	【巾】部 市民　市場 都市　城市 超市　市政府

雨雨

下雨了……下雨了……

雨連續下兩小時了。

下雨了……下雨了……

雨連續下兩天了。

下大雨……下小雨……

兩天沒有見到陽光了。

雨

【雨】部
雨天　雨點
雨衣　雨鞋
雨傘　下雨

兩

【入】部
兩兩　兩旁
兩邊　一兩
兩樣　兩面

古右

古先生的右邊是古太太，

古太太的右邊是古姊姊，

古姊姊的右邊是古奶奶，

古奶奶的右邊是古爺爺，

古爺爺的右邊是古小弟，

古家人坐在一起，看戲。

古	【口】部
	古老　古人
	古怪　古代

右	【口】部
	右手　右邊
	右轉　向右

午牛

上午，我們去看乳牛，

乳牛曬太陽、吃青草，

我們餵乳牛、畫乳牛。

中午，我們吃個飽。

下午，我們還要去看水牛，

看水牛耕田、泡泥澡。

午	【十】部
	上午　中午　下午 午前　午後　午夜
牛	【牛】部
	牛毛　牛奶　牛耳 牛角　牛車　牛肉 水牛　黃牛

19

太大

衣服太大了，

裤子太大了，

帽子太大了，

全都太大了，

弟弟笑呵呵，

他，扮成爸爸了。

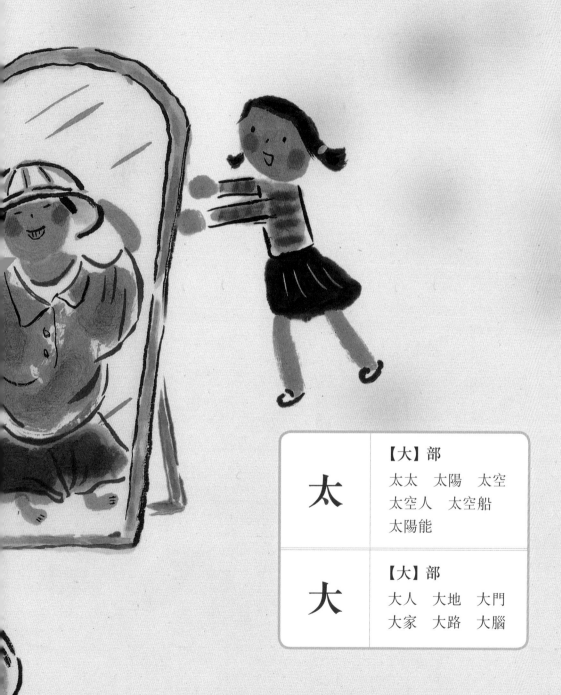

太	【大】部 太太　太陽　太空 太空人　太空船 太陽能
大	【大】部 大人　大地　大門 大家　大路　大腦

我找

我忙着找書本，

我忙着找文具，

我找東、我找西，

找齊了，不容易。

東西好好放在一起，

就不會花力氣找東西。

我	【戈】部 我們　我家 我的　你我他
找	【手】部 找人　找錢　找事 找一找　找麻煩

寸 才

小蟲小蟲有多長？

小蟲小蟲一寸長。

啊！小蟲才一寸長？

才一寸長，沒關係，

看，一寸蟲變成了蝴蝶，

這才是真神奇。

寸	【寸】部 寸草　寸土 尺寸　公寸 英寸
才	【手】部 才能　才子 才氣　剛才 人才

本 木

這種木材、那種木材，

木材做成了紙漿，

紙漿做成了紙張，

紙張印成了書本和卡片。

書本一本一本，多漂亮！

卡片一張一張，多漂亮！

本
【木】部
本地　本人
本來　書本
課本　一本

木
【木】部
木瓜　木耳
木材　木馬
木棉　木炭

主王

爸爸是我家的主人，

爸爸是我家的國王。

今天我來當主人，

今天我來當國王，

怎麼會變成這樣子？

今天，是我的生日。

主

【、】部
主人　主角
主食　屋主
主子

王

【玉】部
王子　大王
女王　國王
王國　帝王

29

刀力

小刀、美工刀，

每一把刀都好利，

用好刀，很省力。

剪刀、水果刀，

每一把刀都好利，

用好刀，真省力。

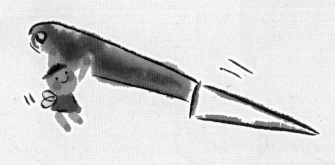

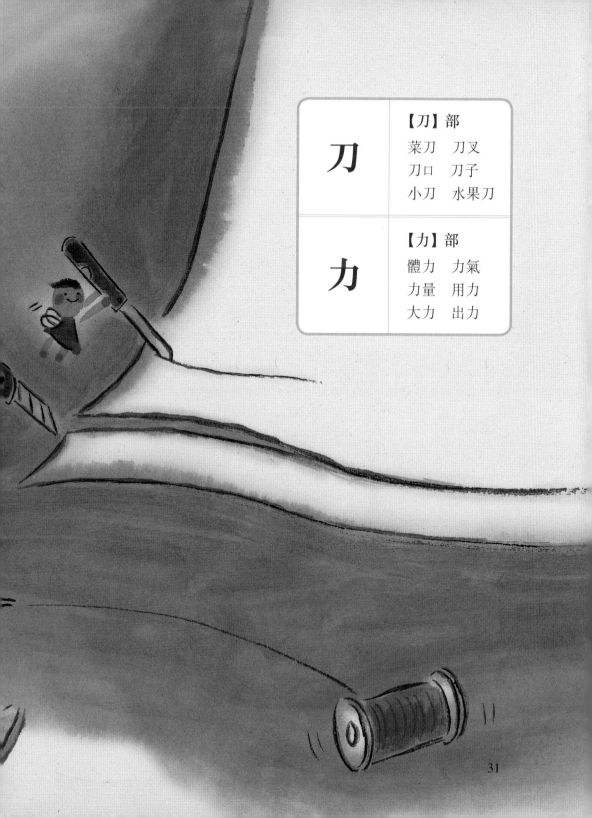

刀

【刀】部
菜刀　刀叉
刀口　刀子
小刀　水果刀

力

【力】部
體力　力氣
力量　用力
大力　出力

夫天

有的農夫，種蔬菜，

有的農夫，種水果，

有的農夫，種花，

有的農夫，種茶，

農夫天天到田裏，

農夫天天看着它們長大。

夫	【大】部
	夫人　夫子　夫婦
	夫家　丈夫　農夫
	漁夫　老夫子

天	【大】部
	天下　天才　天牛
	天文　天災　天使
	天空　天天　一天

白 自

白白的、白白的，

手帕洗得白白的，

自己的手帕自己洗。

白白的、白白的，

帽子洗得白白的，

自己的帽子自己洗。

白

【白】部
白天　白米　白金
白菜　白糖　白衣
白花　空白

自

【自】部
自己　自修　自動
自私　自行車
自由　自來水

上下

上上、下下，

我上你下、你下我上，

一邊上、一邊下，

翹翹板，上上下下。

我對着你眯眯笑，

你對着我眯眯笑。

36

上	【一】部 上下　上山 上午　上次 上衣　上課
下	【一】部 下午　下台 下班　下蛋 下棋　下課

今 令

今天的陽光令人舒服，

今天的微風令人舒服，

今天的雲朵令人舒服，

今天晚上，還有

　星星和月亮，

今天，真令人舒服。

今	【人】部 今天　今年 今世　如今 古今
令	【人】部 令堂　令尊 命令　下令 令牌　司令台

丈 文

姑丈姑丈寫文章，

文章越寫越長。

姑丈的文章有多長？

快來量一量，

姑丈寫的文章，

哇！好長好長好長。

40

丈

【一】部
丈人　丈夫
丈母娘

文

【文】部
文學　文字
文具　文章
天文

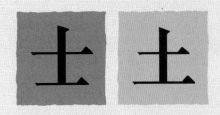

士土

士兵的手上沾了泥土，

士兵的腳上沾了泥土，

士兵的衣服上沾了泥土，

士兵的褲子上沾了泥土，

士兵幫大家挖泥土，

士兵幫大家運泥土。

士

【士】部
女士　護士
士兵　士氣

土

【土】部
土地　土星
土人　土產

43

堆 推

一堆兩堆三堆，

泥土，好幾堆。

推土機，推推推——

推土機推平了這一堆，

推土機推平了那一堆，

推土機推平了，好幾堆。

堆	【土】部 土堆　草堆　一堆 堆高　堆起來
推	【手】部 推車　推開　推出 手推車　用力推

45

季李

春季，李先生種花，

夏季，李先生種花，

秋季，李先生種花，

冬季，李先生種花。

李先生，四季種花，

李先生，四季賞花。

季	【子】部 雨季　旺季 四季　季節
李	【木】部 李子　李樹 李花　李白

47

宅 它

這座古宅，好舊了，

它是誰家的古宅呢？

這座古宅，好舊了，

都沒有人來幫它打掃。

這座古宅，更舊了，

它的屋頂上，長青草。

宅	【宀】部 住宅　宅子 古宅
它	【宀】部 它們

密蜜

春天到了李花開，

李樹開花密又密，

李樹開花白又白。

李花開得白又密，

小蜜蜂，嗡嗡嗡，

小蜜蜂，採花蜜。

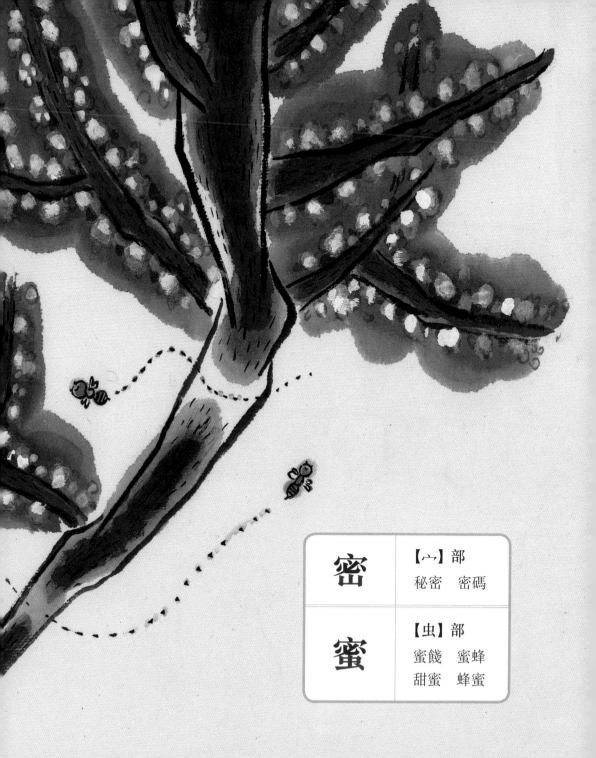

密

蜜

【宀】部
秘密　密碼
【虫】部
蜜餞　蜜蜂 甜蜜　蜂蜜

給爸爸媽媽的話

別把「馮京」當「馬涼」

　　漢字是世界上特有的方塊字，每一個字有每一個字的形、每一個字有每一個字的音、每一個字有每一個的義。然而，有趣而弔詭的是，中文裏更有相似的形、相似的音、相似的義。想把它們辨認清楚，的確很不容易。這些文字經過「混搭」以後，就更容易造成「混淆」。更何況「混搭」以後，中文就變成一個龐大而深奧的系統。如果不仔細辨認，那就很可能造成「混亂」了。在閱讀和書寫的時候，常常會遇到兩個形狀很像的字，然而音和義卻完全不一樣，一不留神就會認錯。因此，就留下了把「馮京」看成「馬涼」的例子。大人都如此了，更何況是兒童呢？

　　形、音、義，既然是中文的重要元素。學習文字的形、音、義，就等於「預覽」了這個龐大系統。儘量把它辨認清楚以後，自己就擁

有了最基礎的工具。因此，認識這個文字系統，就變成一件很重要的事。為了避免「混淆」甚至「混亂」，在「混搭」以前，先把每一個文字辨認清楚，就成了必須的功課。然後，再進一步辨認「形相近」的字組，就容易多了。

為了解決這個問題，我們先比對出約兩百五十組「形相近」的字。然後，再選出適合的數十組，成為本書的基礎結構。我們想以全新表達的妙點子，讓兒童對「形相近」而「義相遠」的字組，很快就能上手。然而，這種妙點子在哪裏呢？經過仔細的搜尋和多次的實驗，終於找出了獨特的表達方式。作者「假借」了雙胞胎的特徵，把兩個「形相近」的文字編成一組。再以兒歌的形式來表現，讓兒童在琅琅的兒歌中，自然而然的分辨出形狀相似的字。構想完成以後，歷經了十年的嘗試、醞釀和熟成，《文字雙胞胎》終於完成了。

雙胞胎乍看時是很像，但是仔細比對以後，還是有些不一樣。雙胞胎如此，文字也是如此。所以，「形像」的兩個字，經過「假借」以後，也就變得可以「意會」了，也就「馮京是馮京，馬涼是馬涼」了。

除了全新的表達方式外，書中並附加了部首、相關的詞彙。希望能幫助被「形相近」所困惑的兒童，在認字、閱讀和書寫的時候，能帶來便利、喜悅和樂趣。